JE SUIS TOP !

LIBERTÉ, ÉGALITÉ, PARITÉ

SCÉNARIO ET DIALOGUES
BLANDINE MÉTAYER

ADAPTATION BD
VÉRONIQUE GRISSEA

DESSIN ET COULEUR
SANDRINE REVEL

D'APRÈS LA PIÈCE DE BLANDINE MÉTAYER

DELCOURT / MIRAGES

Un grand merci à Cécile Ferro, sociologue, pour son aide précieuse ; à Brigitte Grésy pour ses conseils éclairés, ainsi qu'aux femmes et aux hommes interviewés pour leur contribution enthousiaste ; à Roselyne Bachelot, Najat Vallaud-Belkacem, Pascale Boistard, Emmanuelle Gagliardi et Carole Michelon, les soutiens de la première heure, comme à Marie Donzel qui a fait découvrir la pièce à Sophie Chédru et permis ainsi que ce roman graphique voit le jour… Enfin merci à Sophie qui a su réunir et fédérer autour de ce projet une magnifique équipe de femmes : Véronique Grisseaux, scénariste géniale de drôlerie et de créativité et Sandrine Revel, splendide dessinatrice au trait subtil et sensible qui a su si bien transposer en dessins les émotions et la magie du théâtre… MERCI !!!

Blandine Métayer

Merci Blandine de m'avoir confié ton personnage de Catherine pour l'adaptation BD.
Merci Sandrine d'avoir fait vivre graphiquement Catherine.
Merci Sophie tu es une éditrice top !

Véronique Grisseaux

Un grand merci aux trois drôles de dames pour leur confiance.
Sandrine Revel

De Grisseaux, aux Éditions Casterman :
• *Daphné et Iris* - co-scénario de Ranouil, dessin de Chapron
• *Lucie* (trois volumes) - co-scénario et dessin de Catel
• *Léo et Léa* (quatre volumes) - dessin de Tirabosco (volumes 1 à 3) et de Catel (volume 4)

Aux Éditions Hugo Desinge :
• *Larguées* - co-scénario de Bruller et Chédru, dessin de Bruller

Aux Humanoïdes Associés :
• *Lucie s'en soucie* - co-scénario et dessin de Catel

Aux Éditions Jungle ! :
• *Danse !* (six volumes) - dessin de Morel
• *L'accro du shopping* - dessin de Li
• *Les Filles au chocolat* (deux volumes) - dessin de Sébastien et Merli (volume 1) et Sébastien (volume 2)

Aux Éditions Jungle ! et Michel Lafon :
• *Le Journal d'Aurélie Laflamme* (deux volumes) - dessin de Aynié
• *Meilleures ennemies* (trois volumes) - dessin de Manboo (volume 1) et de Salfo (volumes 2 et 3)

Aux Éditions Vents d'Ouest :
• *Petit Manuel de survie pour les filles qui se font larguer par leur mec* - co-scénario de Cat Wood, dessin de Colonel Moutarde

De Revel, chez le même éditeur :
• *Le 11e Jour*
• *Le Jardin Autre Monde* - scénario de Filippi
• *Un drôle d'ange gardien* (sept volumes) - scénario de Filippi
• « *Le Cheval et le Loup* » dans *La Fontaine aux fables* T. 2 – collectif

Aux Éditions La Boîte à bulles :
• *Résurgences, Femmes en voie de resociabilisation*

Aux Éditions Carabas :
• *Petitchat et la lune* - scénario de Myriam

Aux Éditions Charrette :
• *Intérieur jazz*
• *Tribute to Popeye* - collectif

Aux Éditions du Cycliste :
• *Bla bla bla* (deux volumes)

Aux Éditions Dupuis :
• *N'embrassez pas qui vous voulez* - scénario de Sowa
• *Sorcellerie & Dépendances*

Aux Éditions Les Enfants rouges :
• *Monsieur Régis* - scénario de Bourgeyx

Aux Éditions Paquet :
• *Les Bonheurs de Sophie* - scénario de Mathis

Aux Éditions Petit à Petit :
• *Boby Lapointe* - collectif
• *Bourvil* - collectif
• *Édith Piaf* - collectif

Aux Éditons P'tit Glénat :
• *Un amour de pou* - textes de Gudule
• *Petits contes pour grandir* - collectif

Aux Éditions Sud-Ouest Dimanche :
• *L'avenir est un paradis* - scénario de Bourgeyx

Site Internet :
www.sandrinerevelbd.com

Ouvrage dirigé par Sophie Chédru

Dépôt légal : février 2016. ISBN : 978-2-7560-6920-3
Première édition

Conception graphique : Trait pour Trait

Achevé d'imprimer en France en janvier 2016

www.editions-delcourt.fr

4

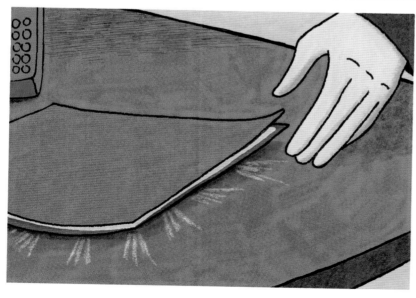

QU'EST-CE QUE ÇA PEUT ÊTRE BRUYANT, UN COCKTAIL !

POUR LES REMETTRE, ÇA SERA UNE AUTRE HISTOIRE !

BON, J'AI 5 MINUTES POUR ME CONCENTRER SUR MON DISCOURS.

MES CHERS COLLABORATEURS, SI JE SUIS ICI DEVANT VOUS... C'EST POUR PRENDRE MES TOUTES NOUVELLES FONCTIONS...

... LA TÂCHE QUI M'ATTEND EST ÉCRASANTE... J'EN AI BIEN CONSCIENCE... GNAGNAGNA...

PFFFFF !

POURQUOI PAS ?

JE SUIS TOP !

LE PARCOURS D'UNE FEMME QUI DEVIENT TOP MANAGER !

INTÉRESSANT... OUI, PARCE QUE J'EN AI CROISÉ, DES GENS SUR MON CHEMIN !

... DES HOMMES, DES FEMMES...

ENFIN... SURTOUT DES HOMMES !

ET DES GRATINÉS... COMME MON PREMIER PATRON !

AH, ÇA ! IL EN AVAIT, DU TACT !

VOUS LE SAVEZ BIEN, GÉRARD, LES BONNES FEMMES, PASSÉ 24 ANS ET DEMI, ELLES SONT TOUTES SUR LA PENTE DESCENDANTE ET EN PRÉ-MÉNOPAUSE !

HA ! HA !

HA ! HA !

TOC !

TOC !

AH ! J'AI RAMÉ POUR EN ARRIVER LÀ !

EN ENTREPRISE, DANS LES HAUTES SPHÈRES, ON SOULÈVE UNE PIERRE ET IL EN SORT DIX... DES HOMMES !

ALORS QUE LES FEMMES...
BIEN SOUVENT C'EST À ELLES QU'ON LA JETTE, LA PIERRE,
SURTOUT QU'ON PASSE NOTRE TEMPS À SE DÉVALORISER
- ET JE SAIS DE QUOI JE PARLE !

EST-CE QUE JE VAIS ÊTRE
À LA HAUTEUR POUR CE POSTE ?

ES-TU CERTAINE D'ÊTRE
UNE VRAIE VALEUR AJOUTÉE
POUR CE PROJET ?

DOUTE !

DOUTE !

EST-CE QUE J'AI TOUTES
LES COMPÉTENCES REQUISES ?
ET GNAGNAGNA...

LES HOMMES, EUX, EN GÉNÉRAL, NE SE POSENT PAS TANT DE QUESTIONS...

... MÊME PAS SUR LA COULEUR DE LEUR CRAVATE... ET POURTANT !

CE POSTE...

... BIEN ÉVIDEMMENT QU'IL EST POUR MOI !

PUISQUE JE SUIS LE MEILLEUR !

ET VOILÀ, TOUT EST DIT ! MÊME SI C'EST ARCHIFAUX ET QUE C'EST LE DERNIER DES TOCARDS... S'IL EN EST PERSUADÉ, IL SAURA BIEN EN PERSUADER LES AUTRES... ET ÇA, ÇA FAIT TOUTE LA DIFFÉRENCE AVEC NOUS !

IL PARAÎT QU'UN HOMME ACCEPTERA UN POSTE S'IL EST SÛR À 50 % D'EN AVOIR LES COMPÉTENCES... UNE FEMME, CE SERAIT PLUTÔT À 99,9 %... ET ENCORE, QUAND C'EST PAS À 120 % !

POURQUOI ?

OUI... POURQUOI ON EST COMME ÇA ?

MAIS... PARCE QUE ÇA DÉMARRE DÈS L'ENFANCE. BEN OUI, ON APPREND AUX GARÇONS À ÊTRE FORTS, ACTIFS, AGRESSIFS, SUPER COMPÉTITIFS !

RFFFFFFROOOOQ... C'EST MOI, SON PÈRE !

NON, C'EST MOI ! RFFFFFFROOOOO !

ET AUX FILLES, ON APPREND À ÊTRE GENTILLES, CONCILIANTES, À NE PAS FAIRE DE VAGUES...

OH ZUT, ZUT ET ZUT ! J'AI RATÉ, C'EST À TOI MAINTENANT, MARIE-AMÉLIE-SOPHIE !

JE TE REMERCIE INFINIMENT, ANNE-LOUISE-PIMPRENELLE !

ELLE EST OÙ LA GAGNE, LÀ-DEDANS ? LA MARELLE ET L'ÉLASTIQUE, C'EST PAS AVEC ÇA QUE TU MONTES SUR UN PODIUM !

ET L'ENFANCE... AH OUI, L'ENFANCE... ÇA CONDITIONNE !

MON PÈRE, IL VOULAIT UN GARÇON...

ON PEUT L'APPELER PATRICK ?

CHÉRI, C'EST UNE FILLE !

JUSQU'À L'ÂGE DE 4 ANS, IL M'OFFRAIT DES GLACES, DES POUPÉES... ET PUIS MON FRÈRE EST NÉ ET LE ROI-SOLEIL M'A COMPLÈTEMENT ÉCLIPSÉE !

MONSIEUR BOISSARD VIENT D'AVOIR UN FILS...

JE N'AI EU DE CESSE D'ATTIRER SA RECONNAISSANCE...

FAUT QUE JE MONTRE ÇA À PAPA !

PAPA, J'AI EU 19 EN MATHS !

ET POURQUOI T'AS PAS EU 20 ? T'AS FAIT QUOI COMME ERREUR ?

BON, TU DEVRAIS ALLER VOIR TA MÈRE À LA CUISINE, ELLE VIENT DE RENTRER DU BOULOT.

ALLEZ, VA METTRE LA TABLE, ÇA LA SOULAGERA UN PEU, LA PAUVRE !

13

AH ! LE COUP DE LA MÈRE HARASSÉE QUI, APRÈS LE BOULOT, ENTAME UNE DEUXIÈME JOURNÉE... OUI, MAIS...

ON VA ME DIRE... C'EST UN HOMME D'UNE AUTRE ÉPOQUE... ÇA NE SE PASSE PLUS COMME ÇA, MAINTENANT ! LES HOMMES METTENT LA MAIN À LA PÂTE !

ILS PRENNENT LEUR PART, ILS PARTICIPENT, QUOI !

GROSSE ERREUR !

CLIC !

BREAKING NEWS

FBM TV - Flash info - Alerte info - Stop

AU XXIᵉ SIÈCLE, 80 % DES TÂCHES MÉNAGÈRES SONT ENCORE EFFECTUÉES PAR LES FEMMES ?

BREAKING NEWS

FBM TV - Flash info - Alerte info - Stop in

EH OUAIIIIS !!!

LE SPEED DE LA FEMME QUI TRAVAILLE ET QUI ENTAME UNE SECONDE JOURNÉE À 22 HEURES... ÇA EXISTE !

RÉUNION TERMINÉE. À DEMAIN !

VOUS AVEZ VU LE MATCH, HIER... BELLE RENCONTRE...

PFFF... 20 H 55... J'AI PLUS QUE 5 MINUTES AVANT QUE LE MONOP' FERME...

ON VA S'PRENDRE UNE BIÈRE AVANT DE RENTRER !!

OUI... BEAU SCORE...

OH ! LÀ, LÀ ! QU'EST-CE QUE JE VAIS FAIRE À MANGER CE SOIR ?

DÈS QUE JE RENTRE, FAUT QUE JE METTE UNE LESSIVE EN ROUTE !

ZUT, HIER J'AI OUBLIÉ D'ACHETER DES SACS POUR L'ASPIRATEUR !

ET MEEERDE... MON BUS !

C'EST VRAI... ON A TOUTES CONNU ÇA, LE PATRON QUI NE VOUS LAISSE JAMAIS PARTIR AVANT 21 HEURES ET QUI S'ARRANGE TOUJOURS POUR VOUS COLLER UN TRUC À FAIRE DE TOUTE URGENCE EN FIN DE JOURNÉE...

BON, POUR EN REVENIR À MON PÈRE...

... J'EN AI TELLEMENT FAIT POUR L'ÉPATER QUE J'AI EU MON BAC À 16 ANS... AVEC MENTION BIEN !

ET QU'EST-CE QU'IL A DIT, PAPA ?

?

ET POURQUOI T'AS PAS EU MENTION TRÈS BIEN ?

OUAIIIS ! C'EST DU LOURD... MAIS ÇA NE M'A PAS EMPÊCHÉE DE CONTINUER !

BON... APRÈS JE SUIS ENTRÉE À DAUPHINE, OÙ J'AI FAIT UN DESS DE DROIT, GESTION, FINANCE, FISCALITÉ... LE TRUC SUPER FUN !

QUAND JE PENSE QU'IL Y EN A QUI DISENT QUE LES ANNÉES DE FAC, C'EST LES PLUS BELLES ANNÉES... EN ARTS PLASTIQUES, PEUT-ÊTRE !

MAIS LÀ, À PART BÛCHER JOUR ET NUIT, J'AI PAS LE SOUVENIR D'AVOIR VÉCU L'ÉCLATE PERMANENTE...

LA SEULE FOIS OÙ J'AI RELEVÉ LA TÊTE D'UN BOUQUIN, ÇA A ÉTÉ POUR CROISER LE REGARD DE MON FUTUR EX-MARI...

ISABELLE, C'EST QUI LE TYPE LÀ-BAS ?

DAMIEN !

IL EST EN FAC DE PHILO, IL PRÉPARE L'AGRÉG' !

C'EST BHL DANS LE CORPS DE JEAN-CLAUDE VAN DAMME !

HEUREUSEMENT QUE CE N'EST PAS LE CONTRAIRE !

JE ME SUIS APPROCHÉE... ET J'AI TOUT DE SUITE SU QUE J'ÉTAIS FOUTUE...

DAMIEN ÉTAIT DIFFÉRENT DE TOUS LES FLIRTS QUE J'AVAIS PU AVOIR !

LE SÉISME...
LE COUP DE FOUDRE QUI
VOUS LAISSE SANS VOIX,
SANS FORCE, SANS VOLONTÉ...

... 3 MOIS APRÈS J'EMMÉNAGEAIS DANS SON STUDIO !

ET 2 ANS PLUS TARD...

Mariage de
Catherine & Damien

AH ! IL ÉTAIT CONTENT, PAPA, CE JOUR-LÀ ! SA FILLE ÉTAIT À SA VRAIE PLACE, MARIÉE, CASÉE...

UNE ÉPOUSE... ET SÛREMENT TRÈS VITE UNE MÈRE... QUI LUI DONNERAIT UN BEAU PETIT-FILS...

ET DAMIEN N'ÉTAIT PAS LOIN DE PENSER LA MÊME CHOSE !

PATATRAS ! J'AI UN PEU CASSÉ L'AMBIANCE QUAND JE LEUR AI ANNONCÉ QUE J'ALLAIS REMPILER POUR 3 ANS ET PRÉPARER UN DOCTORAT DE GESTION D'ENTREPRISE !

EH OUI... J'ÉTAIS AMOUREUSE, MAIS PAS COMPLÈTEMENT DÉCÉRÉBRÉE. JE VOULAIS FAIRE CARRIÈRE... ALLER LE PLUS HAUT POSSIBLE !

PAS FAIRE COMME MA MÈRE, QUI AVAIT SACRIFIÉ
TOUTES SES AMBITIONS ET OPTÉ POUR UN BOULOT SANS INTÉRÊT...
JUSTE À CAUSE DES HORAIRES !

NON,
NON,
NON !

ET PUIS JE NE M'ÉTAIS PAS FAIT SUER
PENDANT 5 ANS POUR M'ARRÊTER LÀ !

ÇA N'A PAS ÉTÉ FACILE FACILE...

ALORS... GNAGNAGNA...
DÉFINITION DU CHAMP
DE L'ÉCONOMIE SOCIALE
ET SOLIDAIRE ET STRUCTURATION
DES POLITIQUES QUI Y CONCOURENT,
SUR LE PLAN NATIONAL
COMME SUR LE PLAN
TERRITORIAL... PFFFF !

MAIS J'Y SUIS ARRIVÉE...
JE L'AI EU, MON DOCTORAT !

ET TOUT DE SUITE APRÈS, J'AI DÉCROCHÉ UN STAGE DE 6 MOIS DANS UN GRAND GROUPE INDUSTRIEL !
GRÂCE À MA COPINE ISABELLE, QUI ÉTAIT RENTRÉE DANS LA BOÎTE UN AN AVANT MOI.
J'ÉTAIS DANS LA PLACE !... JE N'AVAIS PLUS QU'À TISSER MA TOILE PATIEMMENT !

MATCHEAU
&
GRAULOURT

ENFIN, DE LA PATIENCE, IL M'EN A FALLU UN MAX...

PENDANT SIX MOIS, J'AI SURTOUT FAIT LES CAFÉS ET LES PHOTOCOPIES !

CATHERINE, J'AVAIS DIT "LONG SANS SUCRE" !

J'AI BEAUCOUP ÉCOUTÉ... SUGGÉRÉ... LANCÉ DES IDÉES QUE MON MANAGER, LE GRAND CHAMPION DE LA RÉCUP', S'EST EMPRESSÉ DE S'APPROPRIER...

... POUR SE FAIRE MOUSSER AUPRÈS DE LA DIRECTION !

AH, THIERRY ! JUSTEMENT, JE VOULAIS VOUS VOIR !

BRAVO MON PETIT, CETTE IDÉE DE *PROCESS* EST FORMIDABLE !

OUAIS DUCON, C'EST MOI QUI L'AI EUE, CETTE IDÉE !

GRÂCE À MOI,
LE ROI DE LA RÉCUP',
IL L'A EUE, SA PROMOTION !

ENFIN L'ESSENTIEL, C'EST QUE JE N'AI PLUS EU
À LE SUPPORTER CAR, À L'ISSUE DE MON STAGE, J'AI ÉTÉ ENGAGÉE
DOUZE MOIS EN CDD, COMME ASSISTANTE À LA COMPTA !

AVEC MON PHYSIQUE DE JEUNE PREMIÈRE,
PROTOTYPE DE LA BLONDE INGÉNUE
À QUI ON DONNERAIT LE BON DIEU SANS CONFESSION,
J'AVAIS LE PROFIL IDÉAL POUR LE POSTE !

BEN OUI ! JE FAISAIS L'INTERFACE AVEC LE COMMISSAIRE AUX COMPTES... NORBERT !

OUIII, ENTREZ !

TOC, TOC, TOC !

UN VIEUX GARÇON QUI ROUGISSAIT JUSQU'AUX OREILLES DÈS QUE J'ENTRAIS DANS LA PIÈCE !

AH... EUH... BON... BONJOUR... CAT... CATHERINE !

VOUS AVEZ PASSÉ UN BON WEEK-END ?

EUH... OUI... MAMAN A ATTRAPÉ UN MAUVAIS RHUME MAIS... EUH... RIEN DE GRAVE !

TANT MIEUX, TANT MIEUX... BON... EUH... VOICI LES COMPTES !

AH ! OUI... PAR... PARFAIT... MER... MERCI !

BON, JE SAIS QUE MOI...
J'AI CHOISI LA BONNE FILIÈRE
ET J'AI PU DÉCROCHER
TOUT DE SUITE UN JOB
SUPER INTÉRESSANT
AVEC DES PERSPECTIVES
DE PROGRESSION ÉNORMES...

MAIS T'INQUIÈTE...
TOI AUSSI, TÔT OU TARD,
TU AURAS TON HEURE...

... UN BON PETIT
POSTE SYMPA
OÙ TU POURRAS
T'ÉCLATER !

OUI !...
ET MON HEURE EST ARRIVÉE BEAUCOUP PLUS TÔT QU'ELLE NE L'AVAIT PRÉVU...

AU BOUT D'UN AN DE CDD, J'AI ÉTÉ ENGAGÉE EN CDI COMME PREMIÈRE ADJOINTE DU DIRECTEUR DES AFFAIRES FINANCIÈRES. LE DAF, QUOI !

ET LÀ, ÇA A BIEN JASÉ... SURTOUT AVEC LA RÉPUTATION DE MON DAF. J'AI AUSSITÔT ÉTÉ ÉTIQUETÉE : PROMOTION CANAPÉ !

ELLE A COUCHÉ !

BEN OUI, FORCÉMENT !

C'EST UNE SALOPE, J'TE DIS !

30

OUAIS, ET JE NE SUIS PAS LA SEULE À QUI C'EST ARRIVÉ ET À QUI ÇA ARRIVE !

STÉPHANIE, ALLEZ ME CHERCHER UN CAFÉ... POUR ME RÉVEILLER !

J'AI PAS FERMÉ L'ŒIL ! STÉPHANIE A TIRÉ LA COUETTE TOUTE LA NUIT ! HA ! HA !

HA ! HA ! HA ! HA ! HA !

NON, MAIS JE RÊVE !

31

VOTRE CAFÉ, VOUS POUVEZ VOUS LE METTRE OÙ JE PENSE ! ARRÊTEZ DE FANTASMER, CHUIS PAS ZOOPHILE...

J'AI AUCUNE ENVIE DE COUCHER AVEC UN PORC !

ENFIN ÇA, C'EST CE QU'ON AIMERAIT TOUTES FAIRE ! MOI, J'AI ENCAISSÉ, J'AI SERRÉ LES DENTS...

... MAIS CE QUI M'A FAIT LE PLUS MAL, C'EST LE JOUR OÙ J'AI DÉCOUVERT QU'À L'ORIGINE DE TOUS LES RAGOTS QUI COURAIENT SUR MON COMPTE...

... IL Y AVAIT UNE FEMME !

UN SI BEAU POSTE... SI VITE !

OUAIS, C'EST FORCÉMENT LOUCHE !

JE LA CONNAIS DEPUIS LONGTEMPS... DÉJÀ À LA FAC... UNE VRAIE PUTE, SI ÇA POUVAIT LUI RAPPORTER QUELQUE CHOSE !

ISABELLE AVAIT CHOISI DE PASSER DU CÔTÉ OBSCUR DE LA FORCE !

OH ! LÀ, LÀ, LÀ ! MA CHÉRIE ! C'EST VRAIMENT GÉNIAL TA PROMOTION, JE SUIS TELLEMENT CONTENTE POUR TOI !

MERCI, ISA !

EN SURFACE, TOUT ALLAIT BIEN...

NON, MAIS C'EST NORMAL ! Y A UNE JUSTICE ! T'AS TELLEMENT BOSSÉ POUR EN ARRIVER LÀ !

... MAIS EN SOUS-MARIN, ÇA TORPILLAIT SEC !

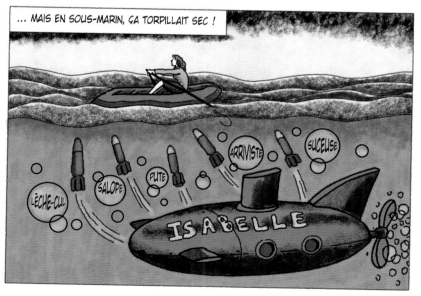

ET MON DAF N'A PAS DÉMENTI... ÇA LE FLATTAIT, CE VIEUX COCHON !

C'EST AVEC CE POSTE DE 1RE ADJOINTE DU DAF QUE J'AI COMMENCÉ À PERDRE MON INNOCENCE !

DRING !
DRING !

AH, MON DAF... TOUT UN POÈME ! TANT DE MACHISME ET DE MISOGYNIE CONCENTRÉS DANS UN SEUL HOMME ! LE TOUT TEINTÉ D'HUMOUR GAULOIS ET DE VULGARITÉ !

CATHERINE, VENEZ IMMÉDIATEMENT, J'AI DEUX MOTS À VOUS DIRE !

TOUS LES JOURS, IL TROUVAIT UN TRUC POUR ME RABAISSER ET ME FAIRE SENTIR MA "TRISTE" CONDITION DE FEMME !

DITES DONC, CATHERINE...

... QU'EST-CE QUI VOUS A PRIS DE ME CONTREDIRE COMME ÇA EN RÉUNION ?

VOUS AVEZ VOS RÈGLES OU QUOI ?

AH PUTAIN, LES BONNES FEMMES ! C'EST TOUJOURS LA MÊME CHOSE... UNE SEMAINE PAR MOIS ELLES SONT BONNES À RIEN !

EH OUI... VÉRIDIQUE !
Y A DES HOMMES COMME ÇA,
SI VOUS N'ÊTES PAS D'ACCORD AVEC EUX...
AVANT 40 ANS C'EST LES RÈGLES,
APRÈS C'EST LA MÉNOPAUSE !
DE TOUTE FAÇON QUOI QU'ON FASSE,
C'EST HORMONAL !

BREAKING NEWS ... Un patron du CAC 40 vient de porter une main aux fesses de sa collaboratrice, c'est pas joli, joli !...

AH, J'EN AI BAVÉ AVEC LUI !
ET JE NE SUIS PAS UN CAS ISOLÉ !

BONJOUR CLAUDINE !

MOI, C'EST MARTINE !

PEU IMPORTE.

POUR EN REVENIR À MON HISTOIRE, DÈS LE PREMIER JOUR, MON DAF S'EST MÊME PERMIS DE FIXER LA DATE ÉVENTUELLE DE MA PREMIÈRE MATERNITÉ !

ATTENTION CATHERINE, QUE LES CHOSES SOIENT BIEN CLAIRES ENTRE NOUS... PAS DE BÉBÉ ! EN TOUT CAS, PAS DANS L'IMMÉDIAT !

BON, SI ÇA VOUS DÉMANGE ET QUE VOUS N'AVEZ PAS DÉPASSÉ LA DATE DE PÉREMPTION... ON POURRA EN REPARLER DANS 6 OU 7 ANS !

VOILÀ ! UNE BONNE CHOSE DE FAITE ! NOUS SOMMES D'ACCORD ? LE CHAPITRE EST CLOS, DONC... DES QUESTIONS ?

EUH...

ALORS AU BOULOT ! ET QUE ÇA SAUTE !

EST-CE QU'IL AURAIT FAIT LA MÊME CHOSE AVEC UN HOMME ?

JE NE CROIS PAS !

38

ENFIN, QUAND ON CHOISIT MALGRÉ TOUT DE FAIRE DES ENFANTS...

... C'EST LÀ QUE TOUT SE JOUE ET QUE LES ÉCARTS SE CREUSENT AVEC NOS COLLÈGUES MASCULINS.

PARCE QU'EUX ILS PEUVENT EN FAIRE À TIRE-LARIGOT, DES MOUFLETS... ET ÇA NE GÊNERA EN RIEN LEUR ASCENSION !

TANDIS QUE NOUS, 1RE GROSSESSE, 1ER CONGÉ DE MATERNITÉ... ON REVIENT ET PAF ! TOUT LE MONDE A BOUGÉ SAUF NOUS. PAS D'AUGMENTATION, PAS DE PROMOTION... LA STAGNATION TOTALE !

MAIS C'EST MON BUREAU !

QUI VA À LA MATERNITÉ... TROUVE SON BUREAU OCCUPÉ !

ALORS POUR PEU QU'ON EN FASSE UN 2E OU UN 3E, C'EST CARRÉMENT L'ENTERREMENT DE 1RE CLASSE. C'EST INJUSTE ET DISCRIMINATOIRE, MAIS C'EST LA RÉALITÉ.

POURTANT, Y A PLEIN DE TRUCS SIMPLES À METTRE EN PLACE : LES HORAIRES ADAPTÉS, UN PEU DE TÉLÉTRAVAIL, LES CRÈCHES EN ENTREPRISE, LES CONGÉS DE PATERNITÉ...

AH ! J'ALLAIS OUBLIER LA TYRANNIE DE L'ÂGE ! BEN OUI... SI ON FAIT DES ENFANTS À 30, 35 ANS ET QU'ON EST SENIOR À 40... ÇA FAIT COURT POUR FAIRE CARRIÈRE !

ET BIEN SOUVENT, POUR LES FEMMES, C'EST "WATERLOO MORNE PLAINE".

MAMAAAN !

OUIIIIN !

À TEL POINT QU'IL Y EN A QUI FINISSENT PAR BAISSER LES BRAS...

Promotion

Travail

Carrière

ET SI JE LAISSAIS TOUT TOMBER POUR ME CONSACRER À L'ÉDUCATION DE MES ENFANTS ?

41

COMME ÇA, ÇA LUI LAISSAIT
DU TEMPS POUR LE MINITEL...
ROSE. ACCRO IL ÉTAIT !

MINITEL SEX ADDICT À FOND...
3615 CODE ULLA... HUE ! LÀ, LÀ, LÀ !

MAINTENANT IL DOIT ÊTRE À LA RETRAITE
ET IL DOIT BIEN S'ÉCLATER...
ÇA DOIT SURFER GRAVE SUR LE NET !

ENFIN, TOUJOURS EST-IL QUE
J'ÉTAIS SERVIABLE ET CORVÉABLE À MERCI...

MATCHEAU
&
GRAULOURT

ÇA COMMENÇAIT À POSER
DES PROBLÈMES DANS MON COUPLE !

44

CATHERINE, J'EN AI MARRE DE DÎNER TOUT SEUL, TU M'ENTENDS... TOUS LES SOIRS C'EST LA MÊME CHOSE, QUAND C'EST PAS UN DOSSIER À BOUCLER, C'EST UNE RÉUNION...

ET CE BÉBÉ, ON LE FAIT QUAND ?... SI ON S'EST MARIÉS, C'EST POUR FONDER UNE FAMILLE, NON ?

ON S'Y MET CE SOIR ! T'AS ARRÊTÉ LA PILULE ?

NON !

EH BEN ALORS, ÇA SERT À RIEN !

J'AI FINI PAR LE FAIRE CE BÉBÉ, PARCE QUE J'EN AVAIS ENVIE BIEN SÛR...

... MAIS AUSSI POUR NE PAS PERDRE DAMIEN...

AU BOUT DU COMPTE, IL EST PARTI QUAND MÊME... PLUS TARD...

C'EST MARRANT CE QU'ON PEUT ENTENDRE QUAND ON ANNONCE
AU BUREAU QU'ON EST ENCEINTE... MOI, ÇA A ÉTÉ ÇA...

QUOI ???

EN CLOQUE !!!

NON, MAIS VOUS AVEZ OUBLIÉ NOS ACCORDS, CATHERINE...

ET D'AUTRES...

COMMENT ÇA, BRIGITTE, VOUS ÊTES ENCEINTE ???

EUH... OUI !

C'EST UN ACCIDENT, C'EST ÇA ?

VOUS NE POUVIEZ PAS FAIRE ATTENTION ?

NE PAS RÉPONDRE... NE PAS RÉPONDRE...

LA CONTRACEPTION, ÇA VOUS DIT QUELQUE CHOSE ?

RESTER ZEN... RESTER ZEN...

ET EUH... ÉVIDEMMENT, J'IMAGINE QUE VOUS VOULEZ LE GARDER ???

IL A OSÉ, L'ANIMAL !

MOI AUSSI J'Y AI EU DROIT, IL EST ALLÉ JUSQUE-LÀ !

... JE VOUS AVAIS DIT "PAS DE GROSSESSE AVANT 6 OU 7 ANS" !

IL Y A AUSSI LE QUESTIONNAIRE QUE L'ON PEUT TROUVER DANS CERTAINES BOÎTES.

SERIEZ-VOUS PRÊTE À AVORTER POUR NE PAS FREINER VOTRE PROGRESSION DE CARRIÈRE ?
A : OUI   B : NON

DINGUE, NON ?

BON, MA GROSSESSE S'EST BIEN PASSÉE... HEUREUSEMENT QUE J'ÉTAIS EN PLEINE FORME, PARCE QUE QUESTION RYTHME ET AMBIANCE, QUE CE SOIT À LA MAISON OU AU BOULOT, RIEN N'AVAIT CHANGÉ !

AH ! C'EST TOI... JE COMMENÇAIS À AVOIR FAIM !

ET AU BUREAU J'AVAIS DROIT AUX GRACIEUSETÉS DE MON DAF...

OH ! LÀ, LÀ ! CATHERINE... VOUS EN ÊTES À COMBIEN, LÀ ?

EUH... 6 MOIS...

MAIS C'EST ÉNOOORME !

ÉLÉPHANTESQUE ! BIENTÔT, POUR VOUS EMBRASSER ÇA IRA PLUS VITE DE FAIRE LE TOUR... HEIN !

47

VU TOUTES LES BIÈRES QU'IL S'ENFILAIT, IL N'ÉTAIT PAS PRÈS DE REVENIR À L'ÉTAT INITIAL !

ET... J'AI ACCOUCHÉ AU BUREAU.

JE N'AI MÊME PAS EU LE TEMPS D'ALLER JUSQU'À LA MATERNITÉ.

J'VOUS LAISSE !

MORGANE, MA PETITE FÉE, EST ARRIVÉE COMME UNE FLEUR SUR LA MOQUETTE ENTRE LA PHOTOCOPIEUSE ET LES DOSSIERS D'ARCHIVES.

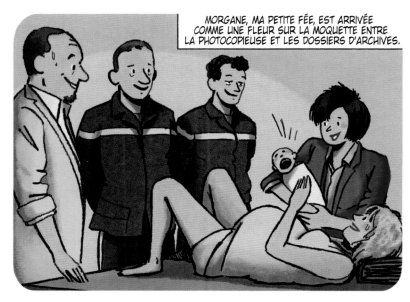

PAS BANAL COMME NAISSANCE !

JE SUIS RESTÉE
3 MOIS À LA MAISON...
ÇA ME FAISAIT TOUT DRÔLE
DE NE PLUS CAVALER
TOUTE LA JOURNÉE...

... C'ÉTAIT SUPER D'ÊTRE AVEC MA FILLE,
ET J'AI PROFITÉ DE CHAQUE SECONDE, CAR
JE SAVAIS QUE ÇA NE DURERAIT QU'UN TEMPS.

LE PREMIER JOUR OÙ JE L'AI DÉPOSÉE
À LA CRÈCHE, C'ÉTAIT COMME SI
ON M'AVAIT ARRACHÉ UN BRAS !

TE RETOURNE PAS...
TE RETOURNE PAS !

OUIIIIIIIN !

OUUUH !

J'AI RETROUVÉ MON PETIT BUREAU, MAIS EN 3 MOIS D'ABSENCE,
C'EST FOU COMME LES CHOSES PEUVENT CHANGER TRÈS VITE...

ET ON VOUS LE FAIT BIEN SENTIR,
QUE VOUS AVEZ RATÉ DES TRUCS...

TIENS...
LA VOILÀ
QUI REVIENT !

... ELLE VA PAS
ÊTRE DÉÇUE !

HI ! HI ! HI !

OUI...
ENTREZ !

J'AI OUVERT LES YEUX
SUR MA BONNE COPINE ISABELLE...

PENDANT QUE JE N'ÉTAIS PAS LÀ,
ELLE EN AVAIT PROFITÉ POUR ME DÉGOMMER
DE PLUS BELLE...

EN FAISANT DU GRINGUE À MON DAF,
ELLE POUVAIT PASSER TOUS LES BUDGETS
QU'ELLE VOULAIT ! JE N'AVAIS PLUS RIEN À DIRE.

EUH...
BONJOUR !

?!

ISABELLE,
VOUS AVEZ
D'ÉNOOORMES...

... D'ÉNORMES...
CAPACITÉS,
VOUS SAVEZ !

MERCI...
IL Y A ÇA
À SIGNER AUSSI !

ÇA A ÉTÉ LA GUERRE ENTRE NOUS !
AU LIEU D'ÊTRE SOLIDAIRES,
ON PASSAIT NOTRE TEMPS
À SE FOUTRE DES PEAUX DE BANANES !

J'AI PASSÉ 4, 5 ANS DANS CETTE AMBIANCE DÉTESTABLE...

... À BOSSER ENCORE PLUS QU'AVANT, À TOUT FAIRE À LA PLACE DE MON DAF, À AVOIR LES FONCTIONS... MAIS PAS LE TITRE !

... NI LE SALAIRE !

FEMMES

HOMMES

HUMMM... ET QUAND UNE FEMME OSE DEMANDER UNE AUGMENTATION, ON LUI RÉPOND QUOI ?

BON ! POUR EN REVENIR À VOTRE DEMANDE D'AUGMENTATION... 1 % C'EST TROP !

VOUS ME DITES QUE C'EST POUR COUVRIR LE TAUX DE L'INFLATION...

... MAIS C'EST BEAUCOUP TROP !

JE L'ÉTOUFFE AVEC SES DOSSIERS ?

OU JE LUI CRÈVE LES YEUX AVEC SON STYLO MONTBLANC ?

EN PLUS, FRANCHEMENT, ENTRE NOUS, QU'EST-CE QUE ÇA VA VOUS DONNER ?

VOUS N'ALLEZ MÊME PAS LE SENTIR !

TOI PAR CONTRE, TU VAS LE SENTIR, SI JE TE FAIS UN RELOOKING FACIAL AVEC L'AGRAFEUSE !

C'EST VRAI, VOUS POUVEZ VOUS ACHETER QUOI, AVEC 1 % D'AUGMENTATION ? HEIN... ?

TOUJOURS FRAÎCHE, PIMPANTE, EN FORME...
LA PETITE JUPE QUI VA BIEN, FÉMININE MAIS PAS TROP...

PAUL, FAIS ATTENTION AVEC TA TARTINE DE NUTELLA !

... LOOK IMPECCABLE !

ET MEEEERDE !

BIEN COIFFÉE, MAQUILLÉE, MANUCURÉE... ÉPILÉE !

ON FAIT ÇA QUAND ? JE VOUS LE DEMANDE !

À 3 HEURES DU MATIN ?

57

ET AU MOINDRE FAUX PAS, ON NE VOUS RATE PAS !

T'AS VU LA TRONCHE QU'ELLE A ?

OUI !!! ELLE A PRIS UN SACRÉ COUP DE VIEUX !

QUOI QU'ELLES FASSENT, LES FEMMES SONT D'ABORD ET AVANT TOUT JUGÉES SUR LEUR PHYSIQUE.

N° 1 : TROP GROSSE !

N° 3 : TROP TYPÉE !

N° 4 : TROP PETITE !

OUAIS... ET SA ROBE ROSE FUCHSIA, ÇA N'ARRANGE RIEN !

EH BEN SON COIFFEUR, C'EST PAS SON COPAIN ! QU'EST-CE QU'ELLE EST MOCHE, SA NOUVELLE COUPE !

58

ET EN VIEILLISSANT, C'EST DE PIRE EN PIRE ! COMME A DIT SHARON STONE, ARRIVÉE À UN CERTAIN ÂGE, VOUS AVEZ LE CHOIX ENTRE : ÊTRE UN MÉROU...

FEMME MAG

... OU UN SHAR-PEI !

FEMME MAG

SYMPA !

AUJOURD'HUI, PARTOUT ON NOUS RENVOIE DES IMAGES DE FEMMES PARFAITES À LA PLASTIQUE IRRÉPROCHABLE, IRRÉELLE...

BREAKING NEWS Liposuccion, augmentation mammaire...

... DE VÉRITABLES AVATARS, MAIS PAS CEUX DU FILM. MÊME LES FILLES DE 16-18 ANS SONT CONTAMINÉES.

BREAKING NEWS ... injection de toxine botulique. La chirurgie est en plein essor !...

REPORTAGE !

BREAKING NEWS ... En 2014, plus de 20 millions d'interventions esthétiques ont été réalisées...

BON, T'ARRÊTES AVEC CE MAGAZINE !

BREAKING NEWS ... dans le monde, et plus de 80 % ont concerné des femmes...

60

LES BOUTIQUES DE LINGERIE. FAUT S'ACCROCHER EN CE MOMENT POUR TROUVER UN SOUTIEN-GORGE NORMAL ! QUE DU PUSH-UP ! OU DES PETITS TRIANGLES TOUT MOUS...

RÉSULTAT, T'AS PAS LE CHOIX... C'EST, OU LES POMELOS...

... OU LES GANTS DE TOILETTE !

NORMAL, AUJOURD'HUI ON EST ENTRÉS DANS L'ÈRE DE L'HYPER-SEXUALISATION !

COMME DANS LES CLIPS !

61

PARCE QUE QUAND UN ADO SE MATE DES CLIPS COMME ÇA À LONGUEUR DE JOURNÉE... BONJOUR LES RÉFÉRENCES !

T'ES-MA-MEUF-T'ES-TROP-BONNE-J'TE-KIFFE...

AVEC ÇA, ON N'EST PAS PRÈS D'EN SORTIR, DES STÉRÉOTYPES !

T'ES-PAS-MA-MEUF-T'ES-TROP-MOCHE-J'TE-KIFFE-PAS...

EUH... SALUT !

EN PARLANT DE STÉRÉOTYPES, ON EST AUSSI OBLIGÉES DE MARCHER AVEC *CES TRUCS* !

AH, C'EST TRÈS JOLI ! ON EN RAFFOLE, DE NOS STILETTOS !

ENFIN... BONJOUR LA TORTURE !

MAIS C'EST MAGIQUE ! 10 CM DE PLUS ! 10 KG DE MOINS !

DONC AU BOUT DE 7 ANS PASSÉS À ASSISTER... QUE DIS-JE ! À SUPPORTER MON DAF, J'ÉTAIS ARRIVÉE À SATURATION !

HOUUUUUUU ! J'EN PEUX PLUUUUUUUUUUUUUS !

ET UN SOIR, EN SORTANT DU BOULOT...

MATCHEAU & GRAULOURT

... JE TOMBE NEZ À NEZ...

OH ! POUVEZ PAS FAIRE ATTENTION !

PAF

ET MEEEERDE !

... AVEC CHRISTOPHE, UN VIEUX COPAIN DE FAC !

CATHERINE ?

CHRISTOPHE ? C'EST DINGUE !

ON EST TOMBÉS DANS LES BRAS L'UN DE L'AUTRE ET NOUS SOMMES ILLICO ALLÉS BOIRE UN VERRE...

ET LÀ, TOUT EST SORTI : JE LUI AI RACONTÉ TOUTE MA VIE, PÊLE-MÊLE...

C'EST L'ENFER ! JE T'ASSURE !

J'EN PEUX PLUS !

IL A BEAUCOUP ÉCOUTÉ... COMPATI...

... MAIS IL M'A SURTOUT SECOUÉ LES PUCES !

BON, CATHERINE... MAINTENANT ÇA SUFFIT !

STOP ! IL FAUT AGIR !

MAIS...

TU NE VAS PAS RESTER LÀ À ATTENDRE QUE LES CHOSES ARRIVENT... PARCE QUE VISIBLEMENT, LÀ OÙ TU ES...

... ÇA N'ARRIVERA JAMAIS !

J'AI SUIVI SES CONSEILS, JE SUIS ALLÉE VOIR LE CHASSEUR DE TÊTES...

MAIS J'AI D'ABORD FAIT UNE FORMATION DANS SON CABINET.

CONFIANCE EN SOI, DÉTERMINATION, LEADERSHIP.

J'AI BEAUCOUP APPRIS... À METTRE EN AVANT MES POINTS FORTS, À ME CONSTRUIRE UNE IMAGE, À NE PAS COMPTER QUE SUR MA SEULE VALEUR, À COMPRENDRE L'IMPORTANCE DE SE CONSTITUER UN RÉSEAU...
ENFIN BREF, TOUS CES TRUCS QUE LES HOMMES FONT EN GÉNÉRAL... MAIS QUI NE SONT PAS DES RÉFLEXES INNÉS CHEZ NOUS, LES FEMMES !

ENTRÉE

SORTIE

QUAND IL A ESTIMÉ QUE J'ÉTAIS PRÊTE, MON CHASSEUR DE TÊTES
M'A PROPOSÉE À UN TRÈS BEAU POSTE : DIRECTRICE D'EXPLOITATION,
À LA TÊTE D'UN DÉPARTEMENT DE FUSIONS-ACQUISITIONS
DANS UN GRAND GROUPE INTERNATIONAL...

J'ÉTAIS EN SHORT LIST AVEC UN HOMME... ET ILS M'ONT CHOISIE...
MOI !

SAUF QUE LEUR CHOIX N'ÉTAIT PAS COMPLÈTEMENT DÉSINTÉRESSÉ...

... ET N'AVAIT PAS GRAND-CHOSE À VOIR AVEC LA NOTION DE PARITÉ !

JE NE L'AI APPRIS
QUE PLUS TARD !
À COMPÉTENCES
ET PARCOURS
ÉGAUX...

... ILS M'ONT EUE POUR NETTEMENT MOINS CHER QUE L'HOMME
DE LA SHORT LIST !

BREAKING NEWS — L'égalité hommes-femmes au travail sera atteinte... en 2086.

BREAKING NEWS — D'après un rapport du Forum économique mondial...

BREAKING NEWS — ... les inégalités ont peu baissé ces dernières années...

BREAKING NEWS — ... en moyenne 77 % de ce que perçoivent les hommes.

BREAKING NEWS — ... avec un écart absolu qui se creuse pour les femmes les mieux rémunérées...

BREAKING NEWS — ... il faudra 71 ans pour combler complètement ce handicap dans le monde.

ET À L'HEURE ACTUELLE, PAS GRAND-CHOSE DE CHANGÉ ! IL Y A ENCORE BEAUCOUP À FAIRE POUR ARRIVER À L'ÉGALITÉ PARFAITE !

- 28 %

BON... MON DISCOURS... J'EN ÉTAIS OÙ ?

AH ! OUI !

DONC JE SUIS ARRIVÉE DANS MA NOUVELLE BOÎTE...

J'AI LAISSÉ SANS REGRET ISABELLE À SES MESQUINERIES ET SES BASSES MANŒUVRES...

... ET MON DAF À SES PIN-UP SILICONÉES...

... MAIS... MAIS... J'EN AVAIS PAS FINI AVEC LE SEXISME !

EH OUAIS !

72

DÈS LE TROISIÈME JOUR DE MA PRISE DE FONCTION... PAF ! J'Y AI EU DROIT !

JE TOMBE SUR MON DIRECTEUR GÉNÉRAL —MON DG, QUOI ! ET LE DIRECTEUR DE PRODUCTION : BERNARD...

MAIS LÀ, POUR LA PREMIÈRE FOIS DE MA VIE, JE NE ME SUIS PAS LAISSÉ FAIRE...

AH, CATHERINE ! JE VOUS PRÉSENTE BERNARD, NOTRE DIRECTEUR DE PRODUCTION !

BERNARD... CATHERINE, QUI A SUCCÉDÉ À JEAN-PIERRE À LA TÊTE DU DÉPARTEMENT FUSIONS-ACQUISITIONS

AH !... ENCHANTÉ !

À CE QUE JE VOIS, ON A PERDU UN CERVEAU MAIS ON A RÉCUPÉRÉ UNE BELLE PAIRE DE JAMBES... HEIN !

JE ME SUIS JETÉE À CORPS PERDU DANS MON NOUVEAU BOULOT DE FUSIONS-ACQUISITIONS, QUI ME PASSIONNAIT...

JE ME RAPPROCHAIS D'ENTREPRISES ET LES ABSORBAIS...

JE TAMISAIS LES GENS POUR NE PAS QU'IL Y AIT DE DOUBLONS...

BON ALORS ! TU VAS ME VIRER... LUI... ET ELLE...

MAIS... CATHERINE...

QUOI ? PAS QUESTION DE PAYER DEUX PERSONNES POUR UN MÊME POSTE !

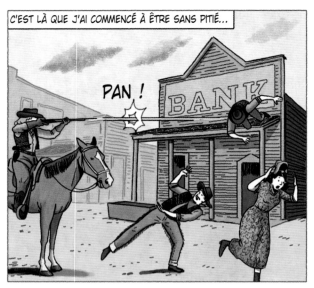

76

J'ÉTAIS TELLEMENT IMPLIQUÉE, OBNUBILÉE PAR MES NOUVELLES FONCTIONS, QUE JE N'AI RIEN VU VENIR...

UN SOIR, EN RENTRANT À LA MAISON VERS 21 HEURES...

MÉLISSA ? QU'EST-CE QUE VOUS FAITES ICI ?

JE NE VOUS AI PAS DEMANDÉ DE GARDER MORGANE AUJOURD'HUI...

C'EST MON MARI QUI DEVAIT S'EN OCCUPER !

EUH... MAIS... IL... N'EST PAS LÀ, MADAME...

IL A LAISSÉ UN MOT POUR VOUS DANS LA CUISINE !

AH... EUH... TRÈS BIEN... MERCI MÉLISSA, VOUS POUVEZ RENTRER CHEZ VOUS ALORS !

CATHERINE, CETTE LETTRE NE VA PAS, JE PENSE, TE SURPRENDRE PUISQUE JE T'AI ENVOYÉ PAS MAL DE SIGNAUX DEPUIS UN BON MOMENT DÉJÀ...

BEN, ÇA DEVAIT ÊTRE EN MORSE ALORS, PARCE QUE J'AI RIEN COMPRIS !

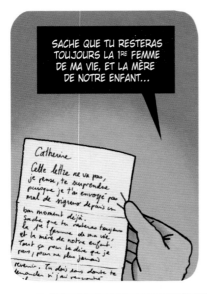

JE NE ME LE DEMANDE PAS... J'EN SUIS SÛRE. UN HOMME PART RAREMENT SANS BISCUIT...

OUI. ELLE S'APPELLE ANNABELLE, ELLE VIENT DE DÉCROCHER BRILLAMMENT L'AGRÉGATION DE LETTRES...

BEN COMME ÇA, ILS AURONT LES MÊMES HORAIRES...

ET ELLE A QUEL ÂGE, CETTE... SALO... CETTE ANNABELLE ?

ET ELLE A 26 ANS...

ET HOP !
VINGT ANS DE MOINS
QUE LUI !

NOTRE LIAISON DURE
DEPUIS UN AN...

AH !
D'ACCORD, UN AN !
J'AI VRAIMENT RATÉ
UN ÉPISODE, MOI !

... NOUS AVONS DÉCIDÉ DE VIVRE
NOTRE HISTOIRE AU GRAND JOUR ET D'EMMÉNAGER ENSEMBLE.
J'AI PRÉFÉRÉ T'ÉCRIRE PLUTÔT QUE TE LE DIRE DE VIVE VOIX,
POUR NE PAS TE FAIRE VIVRE UNE SCÈNE DE RUPTURE PÉNIBLE,
QUI T'AURAIT FAIT SOUFFRIR...

OH !
QUELLE DÉLICATESSE
ET QUEL COURAGE !

POUR NOTRE FILLE, J'ESPÈRE QUE NOUS POURRONS RESTER BONS AMIS. JE SAIS QUE TU ES TROP INTELLIGENTE ET RESPONSABLE POUR TE SERVIR DE MORGANE COMME D'UNE ARME CONTRE MOI... MON AVOCAT SE METTRA EN RAPPORT AVEC LE TIEN...

EXCUSE-MOI, J'EN AI PAS ENCORE... C'EST UN PEU FRAIS, TOUT ÇA !

BON, C'EST VRAI, TOUT N'ÉTAIT PAS ROSE ENTRE NOUS. J'AVAIS SANS DOUTE DES TORTS. PAS ASSEZ ATTENTIVE, PLUS MÈRE QUE FEMME, LA PRESSION DU BOULOT...

AH, MAIS LUI AUSSI AVAIT DES TORTS !

IL N'A JAMAIS RIEN COMPRIS À CE QUE JE FAISAIS AU BUREAU. D'AILLEURS, ÇA NE L'INTÉRESSAIT PAS DU TOUT...

EN FAIT, ON S'EST FOURVOYÉS TOUS LES DEUX. ON N'ÉTAIT SIMPLEMENT PAS LES BONNES PERSONNES L'UNE POUR L'AUTRE !

SUR LE COUP, MORGANE NE L'A PAS TROP MAL PRIS...
COMME TOUT COUPLE MODERNE, ON AVAIT OPTÉ
POUR LA GARDE ALTERNÉE.

ET LA SEMAINE OÙ ELLE ÉTAIT AVEC MOI,
JE LUI CONSACRAIS TOUT MON TEMPS !

EN FAIT, SUR LE PLAN CARRIÈRE,
DAMIEN M'A MÊME RENDU SERVICE,
CAR C'EST À PARTIR DE MON DIVORCE
QUE J'AI VÉRITABLEMENT EXPLOSÉ...

DES FUSIONS-ACQUISITIONS...

... J'AI VITE ÉTÉ PROMUE DIRECTRICE
DES AFFAIRES JURIDIQUES...

... P-A-S-S-I-O-N-N-A-N-T !

J'ÉTAIS RESPECTÉE, REDOUTÉE...

JOHANNA, APPORTEZ-MOI UN CAFÉ...

... ET LE DOSSIER WORLD BUSINESS PROJECT !

... MAIS DÉTESTÉE, SURTOUT PAR LES FEMMES...

C'EST POUR LE PITBULL, LE CAFÉ ?

OUI, C'EST POUR Mme BOISSARD !

J'EN AVAIS BAVÉ POUR EN ARRIVER LÀ ET C'ÉTAIT NORMAL QU'ELLES EN BAVENT ELLES AUSSI !

C'EST UN LONG SANS SUCRE, J'ESPÈRE ?

AH, NON... JE VOUS AI PRIS UN SUCRÉ... EXCUSEZ-MOI !

ALLEZ M'EN CHERCHER UN AUTRE !

QU'ELLES RAMENT À LEUR TOUR... QU'ELLES S'EN SORTENT TOUTES SEULES, SANS MON AIDE !

J'ÉTAIS DEVENUE UNE SORTE DE SUPER-ROBOT, UN ÊTRE FROID ET INSENSIBLE. UN MONSTRE QUI NE SE NOURRISSAIT QUE DE STRATÉGIE, DE CROISSANCE, DE RENTABILITÉ, D'EFFICACITÉ...

JE DÉJEUNAIS AVEC DES MINISTRES, DES DÉPUTÉS...

J'ACHETAIS DES ACTIONS DE LA BOÎTE POUR ME COUVRIR...

ACHETEZ !

BIDIBIDII !

JE NE TRAVAILLAIS PLUS... J'ÉTAIS DEVENUE MON TRAVAIL !

ET ÇA AURAIT PU DURER COMME ÇA PENDANT DES ANNÉES...

MAIS... MAIS...

L'UNIVERS S'EST BIEN CHARGÉ DE ME FAIRE REDESCENDRE SUR TERRE...

BIP ! BIP !

AAAAAAAAAK !

BIP ! BIP !

VOTRE FILLE A AVALÉ DES SOMNIFÈRES AU COLLÈGE, ELLE EST SORTIE D'AFFAIRE...

POURQUOI ?... POURQUOI ?

CHAGRIN D'AMOUR, D'APRÈS CE QU'ELLE M'A DIT !

VOUS NE POUVIEZ PAS SAVOIR... ÇA PEUT ÊTRE VIOLENT, À CET ÂGE-LÀ...

VOUS POUVEZ LA VOIR... ELLE VOUS ATTEND...

BON... ALORS... EUH...

... AH ! OUI...

MON DG A ÉTÉ TRÈS BIEN, TRÈS COMPRÉHENSIF. ET J'AI FAIT UN TRUC QUE J'AVAIS JAMAIS FAIT...

VOUS AVEZ MON FEU VERT, CATHERINE !

... J'AI PRIS DEUX MOIS DE CONGÉ !

ON EST PARTIES TOUTES LES DEUX EN INDE.

ET LÀ-BAS, PETIT À PETIT, JOUR APRÈS JOUR, J'AI RÉAPPRIS L'HUMANITÉ. ET MORGANE, MA PETITE FÉE, LE BONHEUR DE VIVRE !

ET C'EST UNE TOUT AUTRE FEMME QUI A DÉBARQUÉ À ROISSY...

MAIS IL FALLAIT MAINTENANT CONVAINCRE LES AUTRES QUE J'AVAIS CHANGÉ... ET LÀ, IL Y AVAIT DU BOULOT.

J'AVAIS OUBLIÉ QU'UN GRAND MANAGER, HOMME COMME FEMME, C'EST AVANT TOUT UN ÊTRE HUMAIN !

BONJOUR, LES FILLES !

TIENS, ELLE DIT BONJOUR MAINTENANT, LA MÈRE BOISSARD ?

ET ELLE A CHANGÉ DE COIFFURE !

PETIT À PETIT, JE SUIS DEVENUE PLUS JUSTE, PLUS OUVERTE. J'AI APPRIS L'EMPATHIE...

BONJOUR JOHANNA, VOUS ALLEZ BIEN ?

EUH... BONJOUR, MADAME BOISSARD !

JE ME SUIS INTÉRESSÉE AUX AUTRES FEMMES... J'EN AI AIDÉ PAS MAL...

JOHANNA, VOUS POURREZ PARTIR À 18 HEURES CE SOIR !

AH ? MERCI !

POUR COMBATTRE LE SEXISME, J'AI DÉFINITIVEMENT
PRIS LE PARTI DE L'HUMOUR...

MESSIEURS,
J'AI L'HONNEUR
D'ACCUEILLIR CATHERINE,
NOTRE PREMIÈRE
BLONDE AU CODIR !

BLONDE, OUI !
MAIS NE VOUS INQUIÉTEZ PAS
MESSIEURS... JE ME SOIGNE !

DEPUIS HIER, J'AI
ARRÊTÉ DE METTRE DU TIPP-EX
SUR MON ÉCRAN D'ORDINATEUR
POUR CORRIGER MES FAUTES.

HA ! HA ! HA !

BON, BEN VOILÀ
MON PARCOURS... AH !...
FAUT QUE JE RAJOUTE
UN TRUC...

... IMPORTANT !

IL FAUT PEUT-ÊTRE AUSSI
QUE JE DISE QUE CONTRAIREMENT
AUX HOMMES, PLUS ON MONTE DANS
LA HIÉRARCHIE, PLUS ON A DE POUVOIR...

... PLUS C'EST DIFFICILE
DE REFAIRE SA VIE !

LE SITE "UNJOURMONPRINCEVIENDRA.COM", OÙ IL N'Y AURAIT PAS D'HOMMES MARIÉS INSCRITS... MOUAIS, ÇA N'EXISTE PAS !

EUH !... C'EST... C'EST MA FEMME ! FAUT QUE JE RÉPONDE...

SUR LA TOILE, LA PLUPART DU TEMPS C'EST "JETESAUTEQU'UNSOIR.FR".

OUAIIIS... C'ÉTAIT COOL ! SALUT !

TU T'EN VAS DÉJÀ ?

MOI AUSSI J'AI ESSAYÉ... MAIS À LA LONGUE, ÇA LASSE !

J'AI RENCONTRÉ UN MEC IL Y A 6 MOIS... LE COUP DE FOUDRE.

BON... IL A 12 ANS DE MOINS QUE MOI...

EH OUI... JE SUIS UNE COUGAR !

PFFF, IL A ENCORE FALLU QU'ON STIGMATISE LES FEMMES ! ALORS QUE DEPUIS DES MILLÉNAIRES DE VIEUX BARBONS SE TAPENT DE JEUNES TENDRONS EN TOUTE IMPUNITÉ !

EUX... ON POURRAIT LES APPELER DES... BRONTOSAURES ! ET TOC !

FIN